COLLECTION FOLIO

Sibylle Lacan

Un père
puzzle

Gallimard

Sibylle Lacan est le troisième enfant du psychanalyste Jacques Lacan. Elle est née du premier mariage de ce dernier, avec Malou Blondin.

Traductrice d'espagnol, d'anglais et de russe, elle travaille actuellement à un deuxième livre.

à tous ceux qui ont cru en moi

AVERTISSEMENT

Ce livre n'est pas un roman ou une (auto)biographie romancée. Il ne contient pas une once de fiction. On n'y trouvera aucun détail inventé dans le but d'enjoliver le récit ou d'étoffer le texte. Mon propos était autre : faire surgir de ma mémoire tout ce qui s'est passé d'important, de fort — tragique ou comique —, entre mon père et moi. Parler du père que Jacques Lacan fut pour moi, non de l'homme en général, et encore moins du psychanalyste. C'est une œuvre purement subjective, fondée à la fois sur mes souvenirs de l'époque et sur la vision des choses à laquelle je suis parvenue aujourd'hui.

J'ai écrit le premier feuillet, une nuit d'août 1991, d'un seul jet. Ainsi est-il, en un certain sens, le plus « parfait ». Toute ma vie j'ai écrit ainsi, de façon spontanée, impulsive, sans corrections ultérieures. C'était pour moi une question de principe. Malheureusement, cela n'est possible que pour des textes extrêmement courts, et, dans le cas présent, il m'a bien fallu ensuite travailler : corriger, chercher le mot juste, épurer le récit au maximum. Sans compter l'effort de mémoire épuisant.

Le sous-titre « *puzzle* » est dû au fait que ce texte n'a pas été écrit de manière suivie. J'ai écrit ce que j'appelle des « bouts » dans le désordre, ou plutôt en suivant l'ordre de leur apparition impérieuse dans ma mémoire, me résolvant, puisqu'il ne pouvait en être autrement, à ne leur donner une place qu'à la fin. J'ai écrit en quelque sorte « à l'aveugle », sans dess(e)in précis, ne sachant pas à quel tableau, à quelle image, j'aboutirais, une fois assemblés les bouts, les morceaux, les pièces.

Enfin, je voudrais donner ici au lecteur non initié quelques indications sur la topographie familiale. « Blondin » est le nom de jeune fille de ma mère, qu'elle reprit dès qu'elle eut divorcé de mon père. Maman est la première femme de Jacques Lacan, mon père. Elle eut de lui trois enfants : Caroline, Thibaut et moi-même. « Bataille » est le nom de la seconde femme de mon père. Ils eurent ensemble une fille, Judith, qui porta le nom de famille de Bataille, car ses parents n'étaient encore, ni l'un ni l'autre, divorcés de leurs premiers conjoints

10

lorsqu'elle vint au monde. « Miller » est le nom que portera Judith après son mariage avec Jacques-Alain Miller.

Pour ce qui est des lieux, je crois qu'il est clair dans le texte que la « rue Jadin » désigne l'appartement où nous avons vécu, ma sœur, mon frère et moi, avec maman jusqu'à ce que nous nous dispersions à l'âge adulte. Quant à la « rue de Lille », qui ignore encore que le cabinet du docteur Lacan était sis au 5 rue de Lille, à Paris ?

UN PÈRE

Quand je suis née, mon père n'était déjà plus là. Je pourrais même dire, quand j'ai été conçue, il était déjà ailleurs, il ne vivait plus vraiment avec ma mère. Une rencontre à la campagne, entre mari et femme, alors que tout était fini, est à l'origine de ma naissance. Je suis le fruit du désespoir, d'aucuns diront du désir, mais je ne les crois pas.

Pourquoi alors éprouvé-je le besoin de parler de mon père alors que c'est ma mère que j'ai aimée et continue d'aimer après sa mort, après *leur* mort ?

Affirmation de ma filiation, snobisme — je suis la fille de Lacan — ou défense du clan Blondin-Lacan face au clan Bataille-Miller ?

Quoi qu'il en soit nous étions, ma sœur aujourd'hui disparue, mon frère aîné et moi, les seuls à porter le nom de Lacan. Et c'est bien de cela qu'il s'agit.

Dans mon souvenir, je n'ai connu mon père qu'après la guerre (je suis née à la fin de l'année quarante). Ce qui s'est produit dans la réalité je n'en sais rien, je n'ai jamais questionné maman à ce sujet. Probablement est-il « passé ». Mais ma réalité à moi, c'est qu'il y avait maman, un point c'est tout. Aucun manque d'ailleurs, car ça n'avait jamais été autrement. Nous savions que nous avions un père, mais apparemment les pères n'étaient pas là. Maman était tout pour nous : l'amour, la sécurité, l'autorité.

Une image de l'époque qui est restée fixée dans ma mémoire, telle une photographie que j'aurais prise et conservée, c'est la silhouette de mon père dans l'encadrement de la porte d'entrée, alors qu'il venait nous voir un jeudi : immense, enveloppé dans un vaste manteau, il était là, déjà comme accablé par je ne sais quelle fatigue. Une coutume avait été instaurée : il venait déjeuner rue Jadin une fois par semaine.

Il vouvoyait ma mère et l'appelait « ma chère ». Maman, quand elle parlait de lui, disait « Lacan ».

Elle nous avait conseillé lorsque, au début de l'année scolaire, nous remplissions le questionnaire rituel, d'écrire : « profession du père : médecin ». En ce temps, la psychanalyse n'était guère loin du charlatanisme.

C'est à Noirmoutier, où nous passions régulière-
ment les « grandes vacances », que l'« anormal »
s'est glissé dans nos vies. Des petits amis bien-
pensants nous révélèrent que nos parents étaient
divorcés et que, de ce fait, maman était vouée à
l'enfer (!). Je ne sais laquelle des deux nouvelles me
frappa le plus. À l'heure de la sieste, nous eûmes,
mon frère et moi, un long conciliabule.

Les années allaient s'écoulant. Maman remplissait tous les rôles. Nous étions « beaux », intelligents et nous travaillions bien en classe. Elle était fière de nous, mais attendait que nous grandissions. Depuis la guerre c'était sa hantise : nous mener tous les trois jusqu'à l'âge adulte.

Papa, pour notre anniversaire, nous faisait de superbes cadeaux (j'ai cru comprendre beaucoup plus tard que ce n'est pas lui qui les choisissait).

Dans un temps intemporel, dans un espace indéterminé — mais j'ai su par mon frère il y a quelques années que je n'avais pas rêvé —, il s'est produit un événement extraordinaire. L'enfance, la Bretagne, Thibaut, mon père et moi. Que faisions-nous là-bas avec mon père ? où était ma mère ? pourquoi Caroline — dans mon souvenir — n'était-elle pas là ? Nous visitions tous les trois un château fort. Thibaut dégringolait les escaliers en colimaçon d'une tour. Où me situais-je exactement par rapport à lui ? et mon père ? *Mais je vois ceci* : à un tournant, sur la droite, il y a une ouverture qui donne directement sur le vide, une porte sans rebord ni garde-fou. Thibaut dans son élan de petit garçon s'y engouffre. Mon père le rattrape par ses vêtements. Miracle !

Deuxième scène : nous retrouvons maman et je lui raconte, bouleversée, comment Thibaut a failli mourir. Pas de cris, pas de pleurs, pas d'émotion apparente. Je ne comprends pas. Je n'ai toujours pas compris. Mon frère n'a gardé de cet événement aucun souvenir tragique. Mon père n'en a jamais reparlé. Maman, qui n'a pas réagi sur le coup, n'a pas non plus réévoqué plus tard le drame affreux évité de si peu.

Formentera s'appelle l'île que j'ai choisie comme deuxième lieu, comme lieu de vacances : FORT M'ENTERRA.

La vie à la maison était régie par le droit d'aînesse. Maman en cela reproduisait ce qu'elle avait vécu dans son enfance — comme moi, elle était la plus jeune — et qu'elle considérait comme « normal », inévitable, bref dans l'ordre des choses. Tout en haut, il y avait Caroline, de quatre ans plus âgée que moi (mais l'écart paraissait bien plus important). Elle possédait toutes les qualités... et tous les privilèges. Femme très tôt, grande, la chevelure longue et épaisse d'une blondeur rare dans nos contrées, épanouie comme un Renoir (j'ai toujours été la plus petite de ma classe, mélange de féminité et de garçon manqué), *belle* de l'avis de tous (je n'ai jamais été que « mignonne »), remarquablement douée et intelligente (prix d'excellence toute sa vie, lauréate du concours général, études supérieures très brillantes — j'ai fait de bonnes études mais toujours laborieuses), en un mot, déesse incarnée, elle vivait dans un monde à part plus proche de celui de maman que du nôtre. Par « nous » j'entends mon frère et moi qui avons été, pendant toute notre enfance, « les petits ». Pourtant, une subdivision s'opérait encore : Thibaut non seulement avait un an de plus que moi mais, en outre, c'était un garçon — avantage incontestable aux yeux de maman, malgré les idées qu'elle professait sur l'égalité des sexes. Ainsi était-il naturel qu'il ne fît pas son lit, qu'il ne mît pas le couvert et autres « détails » qui heurtaient profondément mon sens de la justice.

Si parfois, mon frère et moi, nous nous alliions contre notre sœur qui n'hésitait pas, dans les cas extrêmes, à employer la force pour régner, la situation la plus fréquente — l'atmosphère ambiante, si j'ose dire — était quand même la mise en évidence, à chaque occasion, de mon infériorité. La formule consacrée à mon égard — une « plaisanterie » bien sûr et maman elle-même en riait —, c'était « bête, laide et méchante ». Une autre encore était : « Sibylle, elle est tout sauf voleuse » (!). Certes, tout cela eût pu être très drôle si la « victime » n'avait pas toujours été la même ou si parfois quelque compliment, ou quelque geste de tendresse, était venu compenser cet acharnement à me rabaisser. Dans les disputes, même si maman reconnaissait que j'avais raison, son verdict n'était jamais public pour ne pas offenser mes aînés — ce qui n'était pas

26

le cas quand c'était moi qui étais jugée fautive.

Peut-être l'oppression permanente que j'ai subie de la part de mon frère et de ma sœur explique-t-elle mon amour de la justice et ma révolte face à toutes les humiliations — choses bonnes en soi —, mais que dire de mon besoin excessif de « reconnaissance » et de ma sensibilité extrême frôlant la susceptibilité ?

Mon père a été plus loin dans son diagnostic : assistant un jour avec stupéfaction à ce jeu cruel et destructeur, il intervint en ma faveur et, s'adressant à Thibaut et à Caroline, il termina par ces mots : « vous allez finir par la rendre idiote ».

Et si un père servait d'abord à cela : à rendre la justice...

Je voyais mon père en tête à tête lorsque nous dînions ensemble. Il m'emmenait dans de grands restaurants et c'était l'occasion pour moi de déguster des plats de luxe : huîtres, homard, desserts somptueux — le comble de la volupté étant, à mes yeux, la meringue glacée. Mais surtout j'étais avec mon père et je me sentais bien. Il était attentif, aimant, « respectueux ». Enfin j'étais une personne à part entière. Notre conversation était entrecoupée de silences paisibles et parfois, sur la table, je lui prenais la main. Il ne me parlait jamais de sa vie privée, et je ne lui posais aucune question à ce sujet, ça ne me passait même pas par l'esprit. Il débarquait du « néant » et je n'en étais nullement étonnée. L'essentiel : *il était là*, et j'étais « épanouie, ravie », comme disait le poète.

Je me *vois*, jeune adolescente, comme si le temps n'existait pas, venir déjeuner à la table familiale et, encore debout, m'écrier, proclamer (personne ne m'avait rien demandé) : « Je ne me marierai jamais. »

Prise de parole exemplaire (vu la place qui m'était accordée à ladite table), mais je n'ai jamais pu me rappeler ce qui avait provoqué ce cri du cœur, cette déclaration publique, ce pavé lancé dans la mare tranquille d'un repas ordinaire d'une famille (presque) ordinaire.

Alors que je venais de naître (ou bien maman était-elle encore enceinte de moi ?), mon père annonça joyeusement à ma mère, avec la cruauté des enfants heureux, qu'il allait avoir un enfant. Je ne sais quelle a été l'attitude de ma mère ni les mots qu'elle a prononcés : a-t-elle laissé voir sa souffrance, lui a-t-elle fait des reproches, s'est-elle mise en colère, ou bien s'est-elle montrée forte et digne, gardant pour elle cet effondrement intérieur, l'impression d'avoir reçu le coup de grâce, la mort qui envahit l'âme ? La seule chose que je sais, parce que maman me l'a rapporté, c'est que mon père lui dit en guise de conclusion : « Je vous le rendrai au centuple » (!).

Ma mère, femme droite et fidèle, se retrouvait seule avec trois petits enfants alors que la guerre était là, l'occupant était là, et que s'annonçait une période d'horreur planétaire dont il était impossible de prévoir la fin.

Quand je suis née, maman ne s'est guère occupée de moi, elle ne m'avait pas désirée et elle était ailleurs, dans son gouffre personnel. Puis-je lui en vouloir ? Pourtant je pense que ma vie entière a été marquée par cette venue au monde dans la solitude affective.

Un an après ma naissance, le divorce, demandé par ma mère, était prononcé.

C'est à l'occasion du mariage de ma sœur aînée — j'avais alors dix-sept ans — que j'appris l'existence de Judith, de moins d'un an ma cadette. Maman nous l'avait cachée, car, nous expliqua-t-elle, notre père ne s'était pas « marié ». L'époque était ainsi. Mais d'autres rancœurs, d'autres souffrances ont dû également motiver ce silence. Judith, disait mon père, voulait, devait assister au mariage de sa sœur. Maman céda.

Cette nouvelle me bouleversa. J'avais une autre sœur et j'étais impatiente de la connaître.

L'avenir me réservait bien des désillusions...

Ma première vraie rencontre avec Judith m'écrasa. Elle était si aimable, si parfaite et moi, si maladroite, si gauche. Elle était la socialité, l'aisance, j'étais la paysanne du Danube. Elle avait l'air d'une femme, j'avais encore une allure enfantine. Ce sentiment dura longtemps. Depuis, j'ai rencontré ce spécimen féminin et je sais à quoi m'en tenir. Mais à l'époque j'étais accablée, coupable. De surcroît, elle faisait philo et je ne faisais *que* des études de langues. Combien de fois, à la Sorbonne, elle m'a croisée en faisant semblant de ne pas me reconnaître. Je souffrais le martyre, n'ayant pas encore la lucidité nécessaire pour la condamner. Je passai à deux reprises des vacances avec mon père. La première fois à Saint-Tropez, la deuxième en Italie au bord de la mer, je ne me souviens plus du lieu. À Saint-Tropez Judith était là. Elle m'a fait sentir toute ma médiocrité. Un souvenir halluciné est la vision de mon père et de Judith dansant comme des amoureux dans un bal populaire à Ramatuelle. Mais dans quel monde étais-je tombée ? Un père n'était-il pas un père ? En Italie, elle vint nous retrouver après un voyage en Grèce avec des camarades de faculté qui tous, apparemment, étaient amoureux d'elle. Plusieurs avaient été évincés à Athènes, les élus étaient restés jusqu'au bout. Mon père était très fier de cette histoire. À moi, aucune confidence. Elle était la reine. Avais-je visité la Grèce ? avais-je des soupirants ? Cet été-là, pour la première fois, je tombai mystérieusement malade : un épuisement général, plus de désir, plus de plaisir, une affreuse perturbation. Pour me rassurer, j'incriminai la chaleur. Quand je rentrai à Paris, tout se remit en place.

Quand nous avions seize ans, dix-huit ans (?), maman nous demanda, à mon frère et à moi, si nous voulions nous appeler Blondin. D'instinct nous refusâmes.

En avril 1962 — j'avais alors vingt et un ans —, je tombai malade. Tout portait à croire qu'il s'agissait d'une grippe et l'on me traita en conséquence. Je restai couchée environ une semaine, puis la fièvre disparut et l'on me déclara guérie. Mais les autres symptômes persistaient : une immense fatigue physique — j'avais besoin de douze heures de sommeil — et intellectuelle : j'avais du mal à suivre mes cours et plus de difficultés encore à les mémoriser. Du lever au coucher, une impression insupportable de coton dans la tête. Je n'arrivais plus à lire. Même le cinéma me laissait désemparée. Bref, je n'avais plus aucune énergie. Seule me restait la volonté de guérir. J'étais convaincue que « j'avais » quelque chose. Je vis de nombreux médecins — généralistes et spécialistes — et fis de nombreux examens. On ne me trouva rien. Je réussis toutefois à boucler mes études sur l'acquis, comme une somnambule.

Je devais partir pour Moscou en décembre pour

une période d'un an afin de parfaire mon russe mais aussi de jouir d'une année de transition, de vacances en quelque sorte, avant d'entrer dans la vie active. Ce projet me tenait beaucoup à cœur et mon angoisse grandissait au fil des mois à la pensée de ne pouvoir le réaliser.

Dans mon souvenir, c'est maman qui eut l'idée d'appeler mon père à l'aide. Rendez-vous fut pris pour tel jour, telle heure, rue Jadin. J'attendais énormément de cette entrevue. Si tous ces médecins stupides n'avaient pu me guérir, qui d'autre que mon père — cet éminent psychanalyste dont déjà je ne mettais pas en doute le génie — pouvait m'entendre, me sauver ? La situation, en effet, était d'autant plus cauchemardesque que mon entourage, ne comprenant rien à mes maux et à mes plaintes, semblait me soupçonner de complaisance, de paresse, pourquoi pas d'imposture.

Je me *vois* sur le balcon à l'heure dite, guettant l'arrivée de mon père. Le temps passait, il n'était toujours pas là. Mon impatience allait croissant. Comment pouvait-il avoir un tel retard dans des circonstances pareilles ?

La rue Jadin est assez courte pour qu'on puisse l'embrasser du regard. À quelques mètres de chez nous se trouvait une maison de rendez-vous, discrète, fréquentée par des gens « chics ». De mon poste d'observation, je vis soudain une femme sortir de ce lieu à pas rapides. Quelques secondes plus tard, un homme sort à son tour. Avec stupéfaction je reconnais mon père.

Comment avait-il pu m'imposer ce supplice pour satisfaire *d'abord* son désir ? Comment avait-il osé venir baiser rue Jadin à deux pas du domicile de ses enfants et de son ex-femme ? Je rentrai dans l'appartement au comble de l'indignation.

La suite de l'histoire ? Mes souvenirs sont assez brouillés, et pour cause. Tout ce que j'ai retenu du discours que me tint mon père ce jour-là est ceci : me séparer de ma mère me ferait le plus grand bien, il me fallait partir sans hésitation. J'étais totalement déconcertée. Quel rapport pouvait-il bien y avoir entre ma mère et l'état affreux dans lequel je me trouvais ? Que savait-il d'ailleurs de mes relations avec maman ? Pendant l'enfance comme pendant l'adolescence, j'avais toujours fait preuve d'une grande indépendance, passant le plus clair de mon temps avec des amis de mon âge, et c'est à peine si je me rendais compte du rôle primordial que joue une mère par son existence et sa présence. J'avais toujours quitté maman, au moment des vacances et dès le plus jeune âge, avec une grande insouciance, comme la plupart des enfants, tout absorbée que j'étais par le plaisir qui m'attendait. (Par contre, je me souviens, les retrouvailles à la gare m'avaient toujours beaucoup émue. Je la voyais de loin remontant le quai, grande, svelte et blonde, alerte, et son expression, sa démarche traduisaient tout l'amour d'une mère qui allait enfin pouvoir serrer son enfant dans ses bras.)

Toute la sainte famille me poussait donc à partir — mon père, mon oncle maternel, chirurgien des hôpitaux, un cousin neurologue, une grande amie de mon oncle, médecin émérite qui m'avait examinée, ma mère elle-même —, et je partis, comme prévu, le 18 décembre 1962, bien décidée à ne plus parler de rien à personne pendant un an, quoi qu'il arrive. Je commençai à tenir mon journal dans le train même qui m'emmenait à l'autre bout de l'Europe, sentant que c'était là, pour moi, la seule manière de ne pas sombrer tout à fait, de ne pas me perdre tout à fait — écrire alors que je ne pouvais plus lire, fixer les jours alors que je n'avais plus de mémoire, attraper les mots avant qu'ils ne m'échappent, trouver un reflet, une preuve de mon existence sur des bouts de papier, dans des pages griffonnées sans le moindre souci esthétique. Tenter de survivre, c'est tout.

Quand je revins d'URSS au début de l'année 1964, mon état n'avait nullement changé. Comme je me l'étais promis, je n'avais soufflé mot à quiconque de ma souffrance et, curieusement, personne ne s'était aperçu de rien. À l'ambassade de France où je travaillais, j'avais réussi à donner le change, car mes tâches étaient bien au-dessous de mes compétences et de ma formation. Quant aux gens que je rencontrai et fréquentai, qu'ils fussent russes ou français, ils me trouvèrent apparemment toutes sortes de qualités — jamais je n'avais été autant courtisée —, et je passai même pour « gaie », comme en témoigne un passage de mon journal sur lequel je tombai il y a plusieurs années et où j'avais consigné avec étonnement la remarque d'une amie russe à mon sujet : « *kakaya vesselaya* ! » Chaque semaine, pendant un an, je fis parvenir à maman par la valise diplomatique une lettre où je lui racontais tout ce qui pouvait l'intéresser ou l'amuser, sans jamais faire la moindre allusion à mes maux. Maman pouvait me croire « guérie ». Ajouterai-je qu'en temps normal j'aurais dû faire d'énormes progrès en russe, compte tenu des bases solides que j'avais acquises à l'École des langues orientales, de mes dons pour les langues vivantes en général et du fait surtout que, en dehors des heures de travail, j'étais immergée dans la vie russe. Or, il n'en fut rien, et je n'ai cessé de le regretter. Je me débrouillais juste assez pour comprendre et me faire comprendre, non sans difficulté, la mémoire me faisait défaut, et j'étais loin de parler couramment le russe à la fin de mon séjour.

Mais revenons à Paris en ce mois de janvier 1964. Me sentant incapable de travailler, je décidai de retourner à l'Université pour gagner du temps et éprouver à nouveau mes capacités intellectuelles. Avec mes proches j'avais éludé le problème de ma santé, souhaitant faire un ultime effort, tenter pour la dernière fois de m'en sortir seule. Il me fallut bientôt renoncer. Impossible d'étudier, d'apprendre, d'enregistrer. Toujours le même épuisement, le même état « cotonneux », une étrange absence d'émotion. Ma vie était un enfer.

Je finis par vendre la mèche : désarroi de ma mère, ricanements de mon frère, SOS à mon père. Je lui réclame une cure de sommeil — sans savoir d'ailleurs de quoi il s'agissait exactement —, mon obsession : dormir le plus longtemps possible pour me réveiller reposée... et guérie. Mon père prend en compte ma demande et me dit qu'il va se « renseigner ». Renseignements pris, il m'annonce que les cures de sommeil créent une accoutumance et qu'elles sont donc à éviter (rétrospectivement, je me suis souvent demandé comment mon père, psychiatre de formation, avait pu avoir besoin de mener une enquête à ce sujet, passons). C'est alors, et seulement alors, qu'il me proposa de faire une analyse. « Je ne peux pas te prendre, moi », se crut-il obligé de me préciser (comme si j'étais assez ignorante pour ne pas le savoir), « mais je vais te trouver quelqu'un ».

Il m'envoya chez Madame A. Je restai avec elle environ un an, rien ne bougeait, le trajet en métro m'exténuait. J'arrête. Une période assez longue s'écoule, je réitère ma plainte. Il me choisit une autre analyste : Madame P., chez qui je me rendis pendant plusieurs années. Avant elle déjà, j'avais rencontré celui qui allait être mon premier amant et grâce auquel j'amorçai une lente remontée : il était la première personne qui m'écoutait et me *croyait* sans chercher à comprendre, sans mettre un instant ma parole en doute, il m'aimait telle que j'étais, passionnément. (Je tiens ici, à travers le temps et l'espace, à lui exprimer ma reconnaissance.)

Madame P. était une femme bienveillante et sympathique, et je pense que le travail que je fis avec elle ne fut pas inutile. L'ennui, c'est qu'au fil des années divers indices s'accumulaient jusqu'au jour où je fus persuadée qu'elle était la maîtresse de mon père. Je la quittai sur-le-champ.

Quelques mois plus tard, un ami fit allusion devant moi à cette liaison, et je compris alors que le Tout-Paris psychanalytique était au courant sauf moi.

(Je choisis *moi-même* mon troisième analyste, non sans avoir exigé de lui le secret.)

Alors que j'interrogeais mon père sur ma « maladie », environ deux ans après son déclenchement (« mais qu'est-ce que j'ai ? »), il me répondit : au dix-neuvième siècle, on aurait dit que tu étais *neurasthénique*.

(Une autre personne que je ne citerai pas parle, elle, de « mélancolie » et prétend qu'on n'en guérit jamais. Mon analyste n'était pas d'accord sur ce dernier point.)

Avant que je me mette à travailler pour de bon, non sans mal d'ailleurs, c'est-à-dire pendant la période qui a précédé 1975, il m'arrivait périodiquement d'aller « consulter » mon père quand j'avais des doutes sur l'origine de ma maladie du fait de ses symptômes purement physiques — fatigue permanente, besoin démesuré de sommeil, grand décalage horaire par rapport à la norme dans ma vie quotidienne, etc. Son attitude alors pouvait varier. Le plus souvent il me disait quelque chose du genre « comment va ton analyse ? », ce qui me laissait triste et perplexe, mais, dans certains cas où je parvenais à le convaincre du caractère insupportable, insurmontable et immuable de mes maux, il m'a également envoyée chez un médecin généraliste en me recommandant bien de lui dire de se borner à faire *son* métier. Bref, il souhaitait que le médecin se comportât en médecin et ne s'égarât point dans des considérations psychologiques.

Ajouterai-je que, lorsque je lui demandai un jour s'il n'était pas possible que je souffre d'une affection organique du cerveau, il me répondit que, si c'était le cas, on le saurait aujourd'hui, faisant implicitement allusion à l'évolution funeste de ce genre de lésion. Je ne sais ce qui l'emporta de la stupéfaction ou de l'effroi.

J'avais une trentaine d'années. C'était une époque
où je ne travaillais pas, en étant incapable. Une
époque de vide et de douleur. L'époque de Mont-
parnasse, l'errance. Alors que j'étais au Select, une
vieille connaissance — un garçon devenu entre-
temps psychanalyste — vint vers moi dès qu'il me
vit. Il avait une intéressante nouvelle à me commu-
niquer. Sais-tu, me dit-il, que dans le *Who's Who*
ton père n'a qu'une fille : Judith ? Le noir se fit
dans ma tête. La colère ne vint qu'après.

(Quelques jours plus tard, j'éprouvai le besoin
d'aller vérifier moi-même à la maison d'édition :
l'ami-qui-me-voulait-du-bien ne s'était pas trompé.)

J'ai haï mon père pendant plusieurs années. Comment aurait-il pu en être autrement ? Ne nous avait-il pas *tous* abandonnés — maman, ma sœur, mon frère et moi —, avec tous les ravages que cette absence avait engendrés ? Seule Caroline avait paru s'en sortir indemne — du moins pour un observateur extérieur —, elle ne s'est jamais confiée à moi. Notez que Caroline était la seule à avoir eu un père et une mère dans sa petite enfance. Les fondations étaient jetées...

Ce ressentiment, cette fureur apparurent relativement tard dans mon analyse. Je mis du temps à me révolter. Je le désignai comme coupable du désastre familial dont je pris peu à peu conscience et de mon effondrement personnel à la sortie de l'adolescence. Je sais l'importance qu'il attachait au « discours de la mère », mais pourquoi maman aurait-elle dû nous raconter des « salades » ? D'ailleurs elle ne nous racontait pas grand-chose, elle ne nous a jamais

« montés » contre lui. Les faits parlaient d'eux-mêmes. Il ne s'occupait guère de nous et avait été totalement absent pendant les premières années de notre vie, à Thibaut et à moi. C'est maman qui nous a élevés, aimés tous les jours que Dieu fait. Mon père vivait sa vie, son œuvre, et notre vie à nous semblait un accident de son histoire, un pan de son passé, qu'il ne pouvait toutefois ignorer. Je sais qu'il nous aimait, à sa manière. C'était un père intermittent, en pointillé. Je sais aussi qu'il était conscient de sa défaillance à notre endroit, comme le montre l'anecdote suivante.

Un soir que j'étais allée le chercher rue de Lille pour dîner, je le trouvai en compagnie de sa manucure qui lui prodiguait ses soins. Il me présenta à elle avec fierté. La jeune femme, s'adressant à moi, commença : « Ainsi, votre père... — Si peu », l'interrompit papa dans un soupir.

Je prends rendez-vous un jour avec mon père pour l'heure du dîner comme d'habitude. C'est urgent, précisé-je à Gloria, la fidèle secrétaire. De quoi voulais-je lui parler si rapidement ? Je ne m'en souviens plus.

J'habitais encore rue Jadin, c'était après la Russie, j'avais donc vingt-trois ou vingt-quatre ans. Mon père vient me chercher en voiture, comme il le faisait à l'époque. Encore sur le trottoir, il me lance d'un air furibond : « J'espère que tu ne vas pas me dire que tu épouses un imbécile ! »

« Père, si peu », mais père quand même. Il se méfiait systématiquement de tous mes amoureux. Si j'avais le malheur d'évoquer devant lui l'existence de l'un d'eux, il me demandait aussitôt : « Qui est-ce ? » (incompréhension de ma part) « *Comment s'appelle-t-il ?* » Comme si mes « petits amis » étaient des célébrités ou que leurs noms (aussi inconnus fussent-ils) allaient lui apprendre quelque chose sur eux. Prononcer leurs noms m'était parti-culièrement pénible, j'avais l'impression de répondre à un interrogatoire, de cracher le mor-ceau. Mais si j'essayais de me dérober en lui faisant valoir que ça ne l'avancerait à rien, il insistait et je devais me plier à sa volonté. En fait, m'arracher le nom de l'homme que j'aimais avant même que je n'aie manifesté le désir de lui en parler me semblait le comble de l'indiscrétion. Et céder devant son insistance, le comble de la lâcheté.

Lorsque, jeune fille, il m'arrivait d'aller passer un week-end dans la maison de campagne de mon père, à Guitrancourt, j'occupais le plus souvent une chambre au même étage que lui mais de l'autre côté de l'escalier, au fond d'un petit couloir. La raison principale en était que cette chambre, d'ailleurs fort plaisante, ouvrant sur le jardin, possédait sa salle de bains particulière.

J'y faisais ma toilette avec délices car elle était spacieuse, claire, et avait un charme légèrement désuet propre aux demeures provinciales qui correspondait à mon sens de l'esthétique.

En fin de matinée, j'étais debout dans la baignoire, me passant le gant sur le corps. Soudain (il n'y avait pas de verrou), j'entends la porte s'ouvrir. Je me retourne en tressaillant, mon père était dans l'embrasure de la porte. Il marque un temps d'arrêt, me dit posément « excuse-moi, ma chérie », et se retire tout aussi tranquillement en refermant la porte derrière lui.

Un coup d'œil, c'est toujours ça de pris...

(J'étais FURIEUSE.)

Maman dut travailler dès qu'elle se retrouva seule. Elle exerça longtemps le métier d'anesthésiste aux côtés de son frère. Ensuite, quand des diplômes furent exigés pour remplir cette fonction, elle chercha éperdument un autre travail. Elle fit pendant un certain temps des motifs de foulards ou des dessins à caractère publicitaire (elle s'était adonnée avec passion à la peinture quand elle était jeune fille), mais sa « manière » ne correspondait pas à l'air du temps et elle dut abandonner. Comme elle dut abandonner au bout de quelques jours une « place » de vendeuse dans une boutique bourgeoise : le commerce était pour elle une phobie. Et bientôt elle abandonna toute recherche. Maman n'était plus toute jeune et je sentis chez elle comme une humiliation. Il lui fallait dès lors se débrouiller avec la seule pension alimentaire de mon père, qui était plutôt maigre et qui avait cette caractéristique de ne pas augmenter en même temps que le prix de la vie. C'était en quelque sorte un « oubli » de mon père et, comme maman n'était pas du genre à réclamer de l'argent, la pension ne bougeait guère. Nous étions pourtant encore là, mon frère et moi — Caroline déjà mariée ou sur le point de l'être.

Ainsi vivions-nous dans la plus stricte économie — excellente éducation d'ailleurs pour des « enfants », mais exercice périlleux et moins drôle pour une femme d'âge mûr pour qui tout, peu à peu, devenait du superflu.

Des années plus tard, alors que j'avais quitté (la dernière) la rue Jadin, il me vint à l'esprit de parler à maman de cette question d'argent, et je lui demandai tout de go combien papa lui donnait par mois : la somme était dérisoire, et j'incitai maman à exiger de mon père qu'il augmentât, comme c'était son devoir, l'allocation qu'il lui versait. Maman refusa tout net. C'était au-dessus de ses forces. À l'époque, je voyais assez souvent mon père et je décidai, de ma propre initiative, d'aborder le sujet avec lui. Le résultat fut un véritable succès : il doubla immédiatement la pension de maman.

(Par la suite, je tentai une nouvelle fois d'obtenir une « actualisation » de la somme. En vain. Mon père vieillissait et, avec les années, son attachement irraisonné à l'argent s'accentuait.)

Aussi loin que je remonte dans mes souvenirs, j'ai toujours vu dans le cabinet de mon père, trônant sur la cheminée, une grande photographie de Judith. Cette photo en noir et blanc, très belle, représentait Judith jeune fille, en position assise, vêtue sagement — pull-over et jupe droite —, ses longs cheveux noirs lisses peignés en arrière de manière à dégager le front.

Ce qui me frappa d'emblée quand j'entrai pour la première fois dans ce cabinet fut sa ressemblance avec papa. Comme lui, elle avait le visage ovale, les cheveux noirs et le nez allongé (mes cheveux sont châtain clair, j'ai le nez retroussé, le visage triangulaire et les pommettes saillantes). Ce qui me frappa ensuite, c'était sa beauté, l'intelligence de l'expression, l'élégance de la pose.

Dans la pièce, aucune autre photo.

À ses patients, à nous, à moi, pendant plus de vingt ans, mon père a semblé dire : Voici ma fille, voici ma fille unique, voici ma fille chérie.

C'est en 1963, pendant mon séjour en Russie, que l'on me demanda pour la première fois si j'avais un lien de parenté avec Jacques Lacan. (Je me souviens encore du secrétaire d'ambassade qui me posa la question.)

Pourquoi noter ce fait qui pourrait sembler anodin ? Pour bien souligner que ni pendant mon enfance, ni pendant mon adolescence, ni au lycée ni à la fac, je n'étais « la fille de ». Et je pense que ce fut une bonne chose, une chance, une liberté.

À l'âge adulte, dès mon retour d'URSS, la question se fit de plus en plus fréquente et ma réaction était mitigée comme mes sentiments. Voulais-je vraiment être la fille de Lacan ? En étais-je fière ou irritée ? Était-il agréable de n'être, *aux yeux de certains*, que « la fille de », c'est-à-dire personne ?

Les années ont passé et, l'analyse aidant, mes sentiments vis-à-vis de mon père se sont clarifiés, apaisés. Je le reconnais pleinement comme mon père. Mais surtout — ce qui est bien plus important encore —, aujourd'hui *j'ai foi en moi* et peu importe qui est mon père. D'ailleurs, si l'on y réfléchit bien, n'est-on pas toujours la fille (ou le fils) de ses parents ?

Un soir — j'avais largement atteint l'âge adulte —, je dîne avec mon père au restaurant. Comme toujours c'est pour moi un moment privilégié, mais j'avoue ne pas me souvenir aujourd'hui des détails de la soirée. (Avait-elle été particulièrement amicale, chaleureuse ?) La suite, en revanche, je ne l'ai pas oubliée.

Je ramène mon père rue de Lille dans ma petite Austin et, au moment de nous séparer, il me dit : « Fais bien attention à toi, ma chérie, et surtout appelle-moi dès que tu seras rentrée. » Il insiste. Étonnement de ma part. Moi qui menais une vie indépendante, qui n'avais cessé de me déplacer seule, de voyager seule — y compris au bout du monde — sans qu'il manifestât la moindre inquiétude, j'avais soudain devant moi un *papa poule* qui me demandait de le rassurer après un banal trajet dans Paris. Je jouai le jeu et lui promis de lui téléphoner dès mon retour.

Arrivée à la maison, je m'exécute immédiatement, craignant de le réveiller si je perdais une minute : « Qui est-ce ? quoi ? qu'est-ce qui se passe ? » Notre homme tombe des nues. Je dus lui rappeler ses recommandations.

En raccrochant je me dis que j'avais vraiment un drôle de père, un peu « zinzin », selon l'expression qui lui était chère.

Les fleurs... Mon père m'offrait des fleurs dans les occasions solennelles, empreintes de gravité, lourdes de dangers potentiels. Or, paradoxalement, les scènes que j'ai gardées intactes en mémoire sont liées pour moi à un sentiment de comique irrésistible.

Comme je l'ai dit plus haut, je partis en décembre 1962 pour Moscou, où je devais travailler à l'ambassade de France pendant une année complète : quatre saisons. Il était convenu que je prenais le train — moins cher que l'avion —, et je m'apprêtais à traverser l'Europe entière en contournant toutefois l'Allemagne de l'Est selon les directives du Quai d'Orsay (à l'époque, les chancelleries occidentales entendaient ainsi protester contre l'érection du « mur »).

C'était mon premier grand voyage (trois jours et trois nuits en chemin de fer) et ma première longue séparation d'avec ma famille, mes amis, mon pays.

De plus, je me rendais de l'autre côté du « rideau de fer », et ce, à une époque cruciale de la guerre froide (la « crise des fusées » venait tout juste d'être résolue). (Mais le plus important pour moi, le plus cruel, la seule chose qui m'inquiétait vraiment — et dont justement personne ne parlait —, c'était que je partais malade dans tout mon être, y compris mes capacités intellectuelles : pourrais-je faire face en cas d'ennuis dans ce pays totalitaire ? ne risquais-je pas de me retrouver en prison par manque de prudence ? serais-je capable de faire le travail que l'on me demanderait ?)

Me voici donc sur le quai de la gare bavardant avec maman après avoir rangé mes bagages dans mon compartiment (j'avais enregistré quelques jours plus tôt deux valises et une cantine, car il fallait TOUT emporter, m'avait-on avertie). L'heure du départ approche. De père, toujours pas. Mais si, le voilà au loin se hâtant vers nous essoufflé. Mais que tient-il donc dans ses deux mains ? son cadeau d'adieu bien sûr : une grande boîte en plastique transparent abritant une somptueuse orchidée ! J'ai horreur des orchidées, ces fleurs de luxe prétentieuses et mortifères. Mais peu importe, mon père n'était pas censé le savoir, la question était : que vais-je faire de cet objet fragile et encombrant pendant soixante-douze heures et, en particulier, lors du changement de train à la frontière soviétique ?

Étonnée une fois de plus par la bizarrerie de mon père, je le remerciai toutefois vivement.

Sachez qu'au bout du compte « la chose » fit le bonheur de deux personnes : à une gare secondaire en Pologne, un jeune homme s'installa dans mon compartiment. Sa fiancée l'attendait à la station suivante. Chez les Slaves, offrir des fleurs est resté une coutume beaucoup plus vivante que chez nous. Enchantée, je saisis l'occasion et lui refilai l'orchidée qui remplit ainsi sa juste mission.

La deuxième « scène des fleurs » eut lieu quelques années plus tard, en 1969, alors que je devais subir d'urgence une intervention chirurgicale traumatisante pour une jeune femme et dont on ne pouvait prévoir l'ampleur : il fallait d'abord « ouvrir ». Pour résumer — mais il y avait d'autres aspects inquiétants (la souffrance, les séquelles possibles) —, la question que j'étais en droit de me poser était : pourrai-je encore avoir des enfants ? Mon père vint me voir la veille de mon opération, décidée le matin même, et je dois dire qu'il me tint des propos fort différents de ceux de mon oncle, le chirurgien, qui m'avait quelque peu rudoyée pendant les jours que j'avais passés en observation dans son service. Allant à l'essentiel, il me dit avec beaucoup de tendresse et de gravité : « Ma chérie, je te le promets, tu sauras toute la vérité. »

Mais je m'éloigne de mon sujet : les fleurs. Le lendemain de mon opération (pour le lecteur compatissant je signalerai qu'on ne m'enleva que l'ovaire et la trompe gauches), vers quatre heures de l'après-midi, on frappe à la porte de ma chambre. « Entrez », dis-je. Apparaît alors dans l'entrebâillement un énorme pot de fleurs, un massif, devrais-je dire, dans une large coupe en terre, et derrière, tout petit, mon père tenant la vasque comme le saint sacrement. Une folle envie de rire.

Nous échangeâmes les propos d'usage entre malade et visiteur (je n'avais jamais autant souffert physiquement de ma vie), puis mon père s'agenouilla au pied du lit et demeura dans cette posture, peu courante chez un non-croyant, pendant un long moment.

Alors qu'il était là, immobile, recueilli, les yeux fermés, je pensai, toujours riant intérieurement : il prépare son séminaire.

Mon père n'était pas un sportif, c'est le moins qu'on puisse dire (c'est maman qui lui avait appris à monter à bicyclette alors qu'il avait trente ans passés). Mais avec l'âge il acquit le goût de l'exploit, avec tous les risques qu'une attirance aussi tardive pouvait comporter.

Mon premier souvenir à ce sujet fut le récit qu'il nous fit un jeudi, provoquant l'hilarité générale, de son initiation au ski, initiation si fulgurante qu'il s'était aussitôt cassé une jambe. « Vous m'auriez vu, ma chère, disait-il à maman avec une naïveté et une fierté tout enfantines, les gens restaient bouche bée sur mon passage... »

Je pus admirer de mes propres yeux ses dons de nageur l'été que nous passâmes ensemble en Italie. Papa, allongé sur le sable en plein soleil, plongé dans la lecture d'un ouvrage savant, se levait soudain, vêtu d'un grand slip flamboyant vert émeraude, courait vers l'eau à grandes enjambées et, le haut du corps dans la position adéquate — bras allongés, mains jointes (voir la famille Fenouillard) —, se précipitait dans la mer avec un grand « plouf ». Puis, avec vigueur, il nageait la brasse vers le large... pas très loin.

Une autre fois — nous avions rendez-vous pour dîner — il me raconta qu'il avait traversé tout Paris à pied sans la moindre fatigue, concluant que notre capitale n'était décidément qu'un village. Je restai interdite, car j'avais toujours vu mon père marcher à pas lents, le visage généralement tourné vers la pointe de ses souliers, visiblement ailleurs, et il était inimaginable pour moi qu'il pût prendre du plaisir à un tel exercice.

J'évoquerai enfin une scène qui heurta vivement mes convictions de gauche. Alors qu'il sortait de chez nous, il avait trouvé sa voiture coincée entre deux véhicules. Alertant les malheureux hommes qui passaient par là, il les mit à contribution pour soulever son auto, lui-même n'esquissant pas l'ombre d'un geste et dirigeant les opérations de la voix. Pour un peu, il les aurait gratifiés d'un « merci, mes braves ».

Plus d'une fois, par son comportement avec les gens, mon père m'a mise mal à l'aise. L'exemple de maman qui traitait chacun avec le même respect et la même bienveillance, et ma propre conception de l'être humain, mon semblable, d'où est exclue toute *hiérarchie* liée à la naissance ou à la position sociale expliquent que l'attitude de mon père m'ait souvent choquée.

S'ils ne *résistaient* pas, s'ils se laissaient faire, les « subalternes » pouvaient s'attendre au pire... à moins que mon père, dont l'humeur était imprévisible, ne fût à l'instant même dans un état d'esprit le disposant à la séduction.

D'autres avant moi ont relaté avec talent — et parfois complaisance — ses rapports avec Paquita, la vieille femme de ménage espagnole qui, les dernières années, remplaçait Gloria dans son cabinet à partir d'une certaine heure. La pauvre était si affolée qu'on eût dit une toupie tournant tantôt dans un sens, tantôt dans l'autre, à chaque injonction contradictoire de son patron. Cela faisait peine à voir, et j'avais honte pour mon père.

(Un chauffeur de taxi, en revanche, n'hésita pas un soir à nous éjecter de sa voiture au *premier* coin de rue, tant mon père s'était montré odieux avec lui avant même qu'il ne démarrât.)

Mais je raconterai ici un incident qui me fit beaucoup souffrir à l'époque (d'autant que j'y étais étroitement mêlée) et dont, malgré tout, je ne peux m'empêcher de sourire aujourd'hui à cause de son caractère proprement ubuesque. Je flirtais alors avec les milieux gauchistes. Mon père m'emmène dans un restaurant réputé. Nous franchissons la porte, courbettes du maître d'hôtel, tant pis pour lui. Il s'empresse autour du « docteur » et de mademoiselle sa fille. Nous nous installons à une table, sur la banquette. Semi-obscurité. Atmosphère gens-riches (très riches). Mon père, le menu à la main, me vante les mérites de la truffe nature. Sceptique d'abord, je me laisse convaincre. La truffe arrive. Le maître d'hôtel attend, le corps légèrement penché. Sous le regard anxieux de deux hommes, j'introduis dans ma bouche un premier morceau... et la catastrophe se produit. D'une voix tonitruante mon père m'avertit : « C'est bon, c'est bon ? Sinon on s'en va, tu sais. » Sourire crispé du maître d'hôtel. La fille du docteur trouve ça sans aucun goût mais se place résolument du côté du « peuple », de l'opprimé, de l'humilié et répond du plus calmement qu'elle peut « c'est très bon ».

Mon père était comme ça.

Mon père a toujours suscité mon admiration par son aptitude à s'abstraire. Le monde avait beau s'agiter autour de lui, s'il travaillait, rien ne pouvait le déranger, le distraire de ses pensées.

Pendant les vacances italiennes que j'ai évoquées, il avait choisi comme lieu de travail la pièce centrale de la villa. Impossible de l'éviter pour se rendre d'une chambre à l'autre, pour sortir ou pour rentrer. Je vois mon père assis à une grande table chargée de livres et de papiers, immobile, absent, alors que les membres de la maisonnée, en tenue légère, ne cessaient de passer.

Une après-midi, nous fîmes une promenade en mer. Un marin dirigeait la barque équipée d'un petit moteur. Le spectacle était magnifique : les falaises vertigineuses, le bleu profond de la Méditerranée, le scintillement de la lumière sur l'eau, l'éclat du soleil, tout portait à l'ivresse. Mon père, cependant, ne leva pas le nez de son Platon. (Le marin, parfois, lui jetait un regard inquiet.)

À Guitrancourt, la coutume voulait que l'on prît

le thé dans l'atelier où travaillait mon père. Il aimait que nous soyons là. Nos bavardages ne le gênaient nullement. Il continuait à travailler, face à la grande baie donnant sur le jardin, et, dans sa fixité minérale, il avait quelque chose d'un sphinx.

J'ai vu pleurer deux fois mon père. La première lorsqu'il nous annonça la mort de Merleau-Ponty, la deuxième quand Caroline est morte. Heurtée de plein fouet par un chauffard japonais sur une route de bord de mer, entre chien et loup, ma sœur est morte sur le coup. Le collègue de bureau qui l'accompagnait « en mission » à Juan-les-Pins raconte toutefois que juste avant le choc elle poussa un grand cri.

Le cercueil, ramené à Paris dans un petit avion de location, fut déposé dans la crypte de l'église où devait avoir lieu la cérémonie religieuse. Ma mère, prostrée, livide, était affalée contre le cercueil. Mon père est arrivé. On allait enlever le corps. Mes « parents » se sont retrouvés debout côte à côte. Mon père a pris la main de maman et les larmes ont envahi son visage. C'était en quelque sorte *leur* seul enfant.

J'ai déjà évoqué ma « maladie » et certains de ses symptômes. Mais ce n'est pas l'objet de mon livre. Je me bornerai donc à n'en dire que ce qui est nécessaire à la compréhension de ce que j'écris ici. L'« enfer » dont j'ai parlé dura bien au-delà de mon retour d'URSS. L'idée du suicide commença à me hanter comme seule solution à tant de souffrances. Presque rien ne bougeait malgré l'analyse. Un soir que j'étais allée chez mon père « en urgence », désespérée, je soulevai une question primordiale : que deviendrais-je quand il ne serait plus là pour assurer ma vie matérielle ?

Il me regarda avec sérieux et compassion et me dit tranquillement, comme une évidence : « mais tu auras *ta part* ».

Le concept d'héritage, semble-t-il, ne faisait pas partie de mon univers mental.

J'ai vu mon père — vivant — pour la dernière fois près de deux ans avant sa mort. Depuis longtemps je n'avais aucun signe de lui. Généralement c'était moi qui l'appelais, qui faisais le premier pas. À cette époque je voulus le mettre à l'épreuve et ne me manifestai pas. J'avais cessé de lui demander de l'argent pour vivre, au prix d'une vie ascétique certes, mais j'étais soulagée de pouvoir enfin m'en sortir seule et de ne plus avoir à « mendier ». Rien ne fut dit d'ailleurs : je cessai seulement un beau jour d'aller chercher ma « pension » dans l'arrière-boutique de Gloria. (Mon père s'en rendit-il compte ? Rien ne le prouve. La seule personne qui aurait pu le lui faire remarquer, c'était justement Gloria. L'a-t-elle fait ? je n'en sais rien.)

Quoi qu'il en soit, j'eus besoin, en mars 1980, de me faire opérer et je n'avais ni argent pour cela, ni sécurité sociale. Non sans une certaine malice (il ne se préoccupait pas de moi, eh bien, il allait devoir le faire...), je saisis cette occasion pour revoir mon père. Je pris rendez-vous par l'intermédiaire de Gloria comme d'habitude. J'entrai dans son cabinet où il m'attendait immobile, figé, le visage fermé, et lui demandai gaiement de ses nouvelles. Il ne me répondit pas mais me demanda sur un ton que je ne lui connaissais pas *ce que je voulais*. Parler, te voir..., dis-je étonnée. Mais encore ? Blessée, je lui répondis que je devais subir une opération, que je n'avais pas l'argent nécessaire et que, par conséquent, j'espérais qu'il me le donnerait. Sa seule réponse fut *non*, puis il se leva pour mettre un terme à la « séance ». Aucune question sur ma santé. Incrédule, j'essayai de le « réveiller » mais en vain, il me dit *non* encore, tenant la porte ouverte devant moi. Jamais mon père ne m'avait traitée ainsi. Pour la première fois j'avais affaire à un étranger. Sur le trottoir de la rue de Lille, je me jurai de ne revoir ce *type* que sur son lit de mort.

Ce n'est que beaucoup plus tard, trop tard, que Gloria m'apprit qu'à cette époque — déjà — il disait non à tout le monde. Elle m'avait vue sortir bouleversée, je lui avais tout raconté, pourquoi ne m'a-t-elle rien dit alors ?

Au début du mois d'août 1981, Gloria — toujours — me téléphona chez moi pour me conseiller — mais avec quelle insistance — de rendre visite à mon père à Guitrancourt. Elle ne me transmettait pas une demande de mon père mais elle était sûre, disait-elle, que cela lui ferait très plaisir. Bref, elle me montrait mon devoir. C'est ce jour-là qu'elle m'expliqua ce qui s'était passé un an et demi auparavant et qu'elle me révéla ce que j'ignorais totalement : que mon père n'allait pas bien (ô l'euphémisme !). Il ne m'en fallut pas plus, envolé mon ressentiment, je voulais le voir le plus rapidement possible. Or — mais pourquoi donc ? —, Gloria fixa la rencontre vers la fin du mois. Deux ou trois semaines s'écoulèrent, je m'apprêtais avec émotion à revoir mon père. La veille du rendez-vous qui, je m'en souviens clairement, devait avoir lieu un dimanche, nouvel appel de Gloria, cette fois pour me décommander. Mon père devait être hospitalisé d'urgence « pour faire des examens ». Où ? Impossible de le savoir. (Mon Dieu ! comme j'étais « jeune » ! Comment n'ai-je pas exigé que l'on me dît où se trouvait *mon* père ?) Quant à la gravité de la situation, la secrétaire, passée du service du Maître à celui de sa fille — l'autre —, se garda bien de m'en informer. Une quinzaine de jours plus tard, je partis pour Vienne où je devais travailler, pendant une certaine période, comme traductrice dans une organisation internationale. Le 9 septembre, au milieu de l'après-midi, coup de téléphone de mon frère à mon bureau. Mon père, me dit-il, allait mourir dans la nuit. Je devais prendre le premier avion. Comme si l'on prenait un avion comme on prend un taxi. Je me trouvais dans la banlieue de Vienne, et mon passeport ainsi que mes affaires étaient à l'hôtel en ville. Il m'était matériellement impossible de rentrer à Paris le jour même et je dus me résoudre à partir le lendemain matin. J'étais comme tétanisée. La mort de son propre père est inimaginable. Incapable de rester seule, je demandai à une collègue de « dîner » avec moi et, après son départ, je demeurai dans le restaurant jusque tard dans la nuit, buvant verre sur verre.

À mon arrivée à Paris, je téléphonai de l'aéroport. Mon père *n'était plus*. Je me rendis directement rue d'Assas où habitait Judith et où le corps de mon père avait été transporté.

J'accuse mon frère qui, lui, avait obtenu de Gloria qu'elle lui dît où était hospitalisé mon père et qui s'est rendu chaque jour à son chevet en forçant le barrage de Judith de m'avoir caché *jusqu'au dernier instant* — la certitude qu'il allait mourir — l'extrême gravité et de l'opération qu'il a subie et de son état général — la mort planait en permanence —, me traitant ainsi une fois de plus comme un être de seconde zone. L'explication qu'il me fournit : il lui demandait tous les jours s'il voulait me voir, et mon père — toujours et encore — répondait *non*. Mais lui, mon frère, lui avait-il demandé s'il désirait le voir ?

Je sais qu'à l'hôpital, après son opération, il arrivait à mon père, ne serait-ce qu'un instant, de retrouver sa lucidité, la mémoire de ce qui avait été. Je suis sûre que si j'avais été là, il m'aurait, à un moment ou à un autre, re-connue, et les années qui ont suivi auraient été pour moi moins pénibles.

L'enterrement de mon père fut doublement sinistre. D'abord j'enterrais mon père, ensuite j'aurais voulu que les gens qui l'avaient aimé fussent là. Profitant de mon hébétude, de l'absence de réaction de mon frère et de son statut privilégié, Judith prit, à elle seule, la décision de cet enterrement « dans l'intimité », de cet *enterrement-rapt* annoncé seulement après coup dans la presse et où je dus subir pour comble la présence de quelques petits messieurs de l'École de la cause, à qui je m'abstins de serrer la main. Judith et Miller avaient tout organisé. Le « clan » était au complet, et Thibaut et moi faisions figure d'indésirables (seule Marianne Merleau-Ponty vint m'embrasser). « Tous des traîtres », pensai-je.

L'appropriation *post mortem* de Lacan, de *notre* père, débutait. Mais comment réagir quand on est dans le deuil et que l'on a affaire à des gestionnaires calculateurs ? Tout a été trop vite. Depuis, je me suis opposée à Judith — les années passant, avec de plus en plus de détermination — chaque fois que je l'ai estimé nécessaire, légitime, mais là, j'avais la tête ailleurs. Le lendemain de l'enterrement, je repartis pour Vienne.

Plusieurs années après la mort de mon père, je suis passée par Guitrancourt, où il est enterré, au retour d'un week-end à Honfleur avec mon petit ami du moment. Je n'avais plus de voiture à l'époque et profitai de l'occasion — une balade hors de Paris, un véhicule — pour lui rendre visite.

Le cimetière de Guitrancourt est à flanc de coteau, à la limite du village. La porte en est heureusement toujours ouverte, ce qui permet d'y entrer sans l'intermédiaire de personne. Je demandai à mon ami de m'attendre sur le chemin en contrebas. Je voulais voir mon père seule, sans témoin, *en tête à tête*. (Passons sur la réaction contrariée et boudeuse du garçon.) Il s'agissait d'un rendez-vous privé, intime.

Je montai au milieu des tombes fleuries (fleurs artificielles ?) jusqu'à celle de mon père, située tout en haut de l'enceinte. Une vilaine dalle de ciment avec son nom et les dates traditionnelles (naissance - mort). J'étais émue. Il y avait tant d'années qu'on ne s'était parlé.

Le temps était beau et froid, l'air vif. J'apportais avec moi une rose rouge. Je la mis précautionneusement sur la stèle, cherchant longuement la position idéale, puis m'immobilisai. J'attendais que le contact s'établît. La chose était d'autant plus difficile qu'un « imbécile » m'attendait en bas et que sa mauvaise humeur m'avait distraite. J'essayai en vain de me concentrer, d'être là tout entière.

En désespoir de cause, je collai ma main sur la pierre glacée, jusqu'à la brûlure. (Si souvent, dans le passé, nous nous étions tenu la main.) Rapprochement des corps, rapprochement des âmes. La magie opéra. Enfin j'étais avec lui. *Cher papa, je t'aime. Tu es mon père, tu sais.* Il m'a sûrement entendue.

Rentrée à Paris, au milieu de la nuit j'écrivis une longue lettre à une amie qui, je me souviens, se terminait ainsi : « Il ne faut pas laisser les morts trop seuls. »

ÉPILOGUE

Le « dernier rêve* »

J'ai rêvé que mon père guérissait (il n'était pas mort) et que nous nous aimions. C'était une histoire uniquement entre lui et moi. S'il y avait des personnes présentes, ce n'étaient que des figurants, je ne les regardais même pas et elles n'intervenaient en aucune façon.

C'était une histoire d'amour, de passion. Il y avait aussi toujours le risque qu'il meure parce que sa « blessure » pouvait à tout moment se rouvrir et il n'était pas prudent. J'avais peur mais ça ne dépendait pas de moi.

* Extrait de mon journal, Vienne, 19 septembre 1981. Rêve noté tel quel au réveil.

requiem[*]

lumière. le léger martellement des pas. dans la troupe, des enfants, des fleurs. le chemin doucement monte vers le cimetière. image fixe et en mouvement. c'est là que j'ai pleuré : enfermée dans un cercueil la mort palpable encore est pour la dernière fois confrontée aux couleurs. air mouvant, horizons verdoyants des collines, palpitation du monde.

[*] Extrait de mon journal, Paris, octobre 1981. L'enterrement : esquisse.

Dans le *Jacques Lacan* d'Élisabeth Roudinesco, paru en septembre 1993, l'auteur évoque à la fin du chapitre « Tombeau pour un pharaon » les derniers instants de mon père.

Elle écrit : « (...) brusquement, la suture mécanique se rompit, provoquant une péritonite, suivie d'une septicémie. La douleur était atroce. Tel Max Schur au chevet de Freud, le médecin prit la décision d'administrer la drogue* nécessaire à une mort en douceur. *Au dernier instant, Lacan le fusilla du regard**.* »

Quand je lus cette dernière phrase, je fus saisie d'un désespoir indicible. Je fondis en larmes, qui se transformèrent rapidement en sanglots convulsifs. À plat ventre sur le divan de la « grande pièce », je

---

* Deuxième réimpression : la « drogue » vient remplacer la « dose de morphine ».

** C'est moi qui souligne.

sombrai dans un torrent de larmes brûlantes qui semblaient ne jamais devoir s'arrêter.

L'idée que mon père s'était *vu* basculer dans le néant, avait su à la seconde près qu'il allait *ne plus être* m'était insupportable. Sa fureur à cet instant, sa non-acceptation du lot commun à *tous* les hommes me le rendaient plus cher, car je le reconnaissais là complètement : « obstiné », selon les derniers mots qu'on lui prête.

C'est ce jour, je crois, que je me suis sentie le plus proche de mon père. Depuis, je n'ai plus pleuré en pensant à lui.

août 1991-juin 1994

DU MÊME AUTEUR

Aux Éditions Gallimard

UN PÈRE

Impression Bussière à Saint-Amand (Cher),
le 25 juin 2001.
Dépôt légal : juin 2001.
1ᵉʳ dépôt légal dans la collection : janvier 1997.
Numéro d'imprimeur : 14190.
ISBN 2-07-040180-4./Imprimé en France.